MEU QUINTAL
É MAIOR
DO QUE
O MUNDO

MANOEL DE BARROS
MEU QUINTAL É MAIOR DO QUE O MUNDO

ANTOLOGIA

Copyright © 2015 by herdeiros de Manoel de Barros
Todos os direitos reservados.

Grafia atualizada segundo o Acordo Ortográfico da Língua Portuguesa de 1990, que entrou em vigor no Brasil em 2009.

Seleção de poemas
Martha Barros

Capa e projeto gráfico
Regina Ferraz

Imagem de capa
Detalhe da obra "Vermelho textura" (93 cm x 65 cm, 2009), de Martha Barros
Reprodução Jaime Acioli

Foto p. 155 – © Lucas de Barros
Manoel de Barros na fazenda Rio Negrinho, dezembro de 2007

Revisão
Eduardo Rosal
Rita Godoy

CIP-Brasil. Catalogação na fonte
Sindicato Nacional dos Editores de Livros, RJ

B273m

    Barros, Manoel de, 1916-2014
        Meu quintal é maior do que o mundo / Manoel de Barros ; — 1ª ed. — Rio de Janeiro : Objetiva, 2015.

    ISBN 978-85-7962-364-6

        1. Poesia brasileira. I. Barros, Martha. II. Título.

15-19570
    CDD-869.91
    CDD-821.134.3(81)-1

19ª reimpressão

Todos os direitos desta edição reservados à
EDITORA SCHWARCZ S.A.
Praça Floriano, 19, sala 3001 — Cinelândia
20031-050 — Rio de Janeiro — RJ
Telefone: (21) 3993-7510
www.companhiadasletras.com.br
www.blogdacompanhia.com.br
facebook.com/editora.alfaguara
instagram.com/editora_alfaguara
twitter.com/alfaguara_br

Carta – Antônio Houaiss	7
Manoel além da razão – José Castello	9
Manoel por Manoel	15
Poemas concebidos sem pecado	17
Face imóvel	23
Poesias	27
Compêndio para uso dos pássaros	31
Gramática expositiva do chão	37
Matéria de poesia	43
Arranjos para assobio	51
Livro de pré-coisas	59
O guardador de águas	67
Concerto a céu aberto para solos de ave	75
O livro das ignorãças	81
Livro sobre nada	91
Retrato do artista quando coisa	105
Ensaios fotográficos	113
Tratado geral das grandezas do ínfimo	121
Poemas rupestres	129
Menino do mato	139
Memórias inventadas	147
Sobre o autor	157
Relação de obras	159
Índice de títulos e primeiros versos	161

É certo que a invenção poética de Manoel de Barros tem personalidade própria rara entre os nossos poetas, rara mesmo entre os nossos grandes poetas. É por isso que ele é um poeta maior.

Mas não é só por isso. Num momento em que somos catequizados como seres insuflados de divino mas ao mesmo tempo praticamos as maiores torpezas com os nossos semelhantes, é um esplendor ver luzir de forma tão convincente e harmoniosa a certeza de que entre o caramujo e o homem há um nexo necessário que nos deveria fazer mais solidários com a vida. Mas Manoel de Barros vai além: prova, com a doçura e adequação de suas palavras, que, se quisermos, a nossa vida pode ser uma passagem de beleza em meio à beleza natural, uma prece de harmonia na vida universal, uma nuga de graça, um momento de bondade, em que há algo de irônico, de lírico, de doce, de solidário, de esperançoso.

A poesia de Manoel de Barros, nesta nossa conjuntura, nacional e humana em geral, é um maravilhoso filtro contra a arrogância, a exploração, a estupidez, a cobiça, a burrice — não se propondo, ao mesmo tempo, ensinar nada a ninguém, senão que à vida.

Antônio Houaiss
Rio, 5 de outubro de 1992

É certo que a invenção poética de Manoel de Barros tem personalidade própria rara entre os nossos poetas, rara mesmo entre os nossos grandes poetas. É por isso que ele é um poeta maior.

Mas não é só por isso. Num momento em que somos catequizados como seres insuflados de divino mas ao mesmo tempo praticamos as maiores torpezas com os nossos semelhantes, é um esplendor ver luzir de forma tão convincente e harmoniosa a certeza de que entre o caramujo e o homem há um nexo necessário que nos deveria fazer mais solidários com a vida. Mas Manoel de Barros vai além: prova, com a doçura e adequação de suas palavras, que, se quisermos, a nossa vida pode ser uma passagem de beleza em meio à beleza natural, uma prece de harmonia na vida universal, uma nuga de graça, um momento de bondade, em que há algo de irônico, de lírico, de doce, de solidário, de esperançoso.

A poesia de Manoel de Barros, nesta nossa conjuntura, nacional e humana em geral, é um maravilhoso filtro contra a arrogância, a exploração, a estupidez, a cobiça, a burrice — não se propondo, ao mesmo tempo, ensinar nada a ninguém, senão que à vida.

Antônio Houaiss

Rio, 5 de Outubro de 1992

MANOEL ALÉM DA RAZÃO

José Castello

Jorge Luis Borges afirmou, mais de uma vez, seu desejo de se tornar um homem invisível. O filósofo catalão Rafael Argullol define a poesia como "a destilação do silêncio". Em um dos versos das *Memórias inventadas*, o poeta Manoel de Barros confirma este elo essencial entre a escrita poética, o desaparecimento e a mudez: "Uso a palavra para compor meus silêncios." Esse apego ao recolhimento é, no caso de Manoel, uma estratégia que cobiça o nada. Uma arte da meditação. Está escrito em *O guardador de águas*: "Não tenho bens de acontecimentos./ O que não sei fazer desconto nas palavras."

O objetivo da poesia de Manoel de Barros não é explicar, mas "desexplicar". Ela se desenrola além da razão e de seus bons argumentos. Por isso, provavelmente, é uma poesia que se apega à infância, momento da vida em que todos os sentidos ainda estão por se fazer. A criança tem a liberdade para cultivar uma visão torta das coisas. Seu olhar é sinuoso, e não reto. A razão — que nos fascina desde o Iluminismo — ainda é uma quimera. Nesse corajoso retorno à infância, Manoel trabalha com inversões, deslocamentos, deformações — "brincadeiras" semelhantes às dos primeiros anos de vida. Pode dizer coisas como: "O córrego ficava à beira/ de um menino..." ou "luava um pássaro". É toda uma realidade que se inverte, libertando-se das amarras do bom senso. Não só dele, mas do valor solene e definitivo que os adultos, em geral, atribuem às palavras.

Tive a sorte de conhecer Manoel de Barros nos anos finais do século xx, em uma visita a sua casa, em Campo Grande. Espantei-me — mas depois a poesia engoliu esse espanto — com aquele homem que se encolhia e se desmentia. Imaginava um menino, encontrei um sábio, o que provavelmente é a mesma coisa. Lembro que, logo depois de me receber, ele me disse: "Não tenho nada para lhe dizer." Não blefava, não mentia, ao contrário, levou-me a encarar a difícil verdade. A poesia de Manoel é feita de restos, de sobras, de dejetos. Como ele diz em um poema: de "inutensílios". É uma poesia que se instala nos primórdios, quando as palavras ainda se confundem com as imagens. Ela confirma, assim, o caráter "inútil" — isto é, não pragmático, indiferente aos resultados — que a define. Como ele mesmo nos diz no *Concerto a céu aberto para solos de ave*: "Passei anos me procurando por lugares nenhuns./ Até que não me achei — e fui salvo."

Estranha salvação promovida não por um encontro, mas por um desencontro. Pensava nisso quando entrei em sua casa. Não estávamos ali para nos encontrar, mas para nos desencontrar. Não era uma entrevista, mas uma meditação. Admito que, a princípio, me senti perdido, mas logo me lembrei dos versos em que Manoel fala das vantagens de se perder. Elogia também os defeitos, os desvios e o desprezível. De seu personagem Bernardo, ele diz que "desregula a natureza". Eu não estava ali para entrevistar um poeta, mas para me perder em suas palavras.

Está dito no *Livro sobre nada*: "A sensatez me absurda." Por isso, talvez, alguns intelectuais sisudos, inseguros, dele se afastem e até neguem sua grandeza. Nada disso o importunava. Dizia Manoel ter aprendido com o pintor boliviano Rômulo Quiroga que a força de um artista não vem de seus sucessos, mas de suas derrotas. É ali onde a arte falha — em pleno silêncio aterrador — que a poesia nasce. Quando pensei em suas palavras, perdi o medo de errar. Ao contrário: entendi que só errando me aproximaria de um poeta e de uma poesia que se definem pela desfiguração. Mesmo com os cabelos brancos, Manoel ainda vivia uma infância na qual "não havia limites para ser".

Preferia as ciências "que analfabetam". Orgulhava-se, também, de seu senso apurado "de irresponsabilidades". No *Tratado geral das grandezas do ínfimo*, ele escreve: "Meu fado é o de não saber quase tudo." Toma uma posição oposta à dos poetas sabichões, para quem a contradição é intolerável. Sabia, ao contrário, que a realidade é feita de lados divergentes. De difíceis paradoxos. É uma esfera que, em seu centro, sustenta a ignorância. Em *Menino do mato*, ele nos diz: "Certas visões não significavam nada mas eram passeios verbais." Sua poesia não está só além dos significados: ela os desmonta. Aquele homem sereno não tinha medo de enlouquecer. Ao contrário: sabia que, sem uma dose de desrazão, não se consegue fazer arte. Em *O livro das ignorãças* ele afirma: "No descomeço era o verbo./ Só depois é que veio o delírio do verbo."

O apego ao silêncio era uma forma que Manoel encontrava para ir além das palavras. Repetia um pouco Clarice Lispector, que escrevia para chegar "atrás de detrás dos pensamentos". Ambos foram desbravadores, e isso os envolveu no manto da desconfiança. Na verdade: dá medo. Lembro que nossa conversa transcorreu com muitos silêncios — lacunas que, contudo, em vez de desmanchá-la, a fortaleceu. Alguém consegue pensar em uma partitura musical desprovida de pausas? Pois o vazio ocupa lugar central na poesia de Manoel. Sua escrita errante e tortuosa dele se alimenta. "Sou mais a palavra com febre", escreve nos *Arranjos para assobio.* Também não temeu a sujeira — que, aliás, desde as primeiras fraldas, define o humano: "O que é bom para o lixo é bom para a poesia", recomenda em *Matéria de poesia.*

Por tudo isso, o encontro com a poesia de Manoel de Barros promovido por esta antologia se torna, ao mesmo tempo, um desencontro. O leitor se desencontra consigo mesmo e com tudo o que aprendeu: eis a poesia. O leitor tropeça no desconhecido e, ao se mirar no espelho das palavras, se desconhece: a poesia de novo. Devo admitir que deixei Campo Grande um tanto atordoado. Mas, de fato: é o mesmo atordoamento, o mesmo abalo que a leitura da poesia de Manoel provoca. É porque erra — também no sentido de andar sem rumo — que ela acerta. Manoel nunca temeu afirmar que o nome empobrece a imagem. Que a palavra a diminui e prende. Ainda assim, a palavra é tudo o que um poeta tem. Aceitando seu destino, escreveu: "Com esses exercícios os nossos/ desconhecimentos aumentaram bem."

Curitiba, 2015

MEU QUINTAL É MAIOR DO QUE O MUNDO

MANOEL POR MANOEL

Eu tenho um ermo enorme dentro do olho. Por motivo do ermo não fui um menino peralta. Agora tenho saudade do que não fui. E com esta senectez atual me voltou a criancês. Acho que o que faço agora é o que não pude fazer na infância. Faço outro tipo de peraltagem. Quando era criança eu deveria pular muro do vizinho para catar goiaba. Mas não havia vizinho. Em vez de peraltagem eu fazia solidão. Brincava de fingir que pedra era lagarto. Que lata era navio. Que sabugo de milho era boi. Eu era um serzinho mal resolvido e igual a um filhote de gafanhoto. Cresci brincando no chão, entre formigas. De uma infância livre e sem comparamentos. Eu tinha mais comunhão com as coisas do que comparação.

Porque se a gente fala a partir de ser criança, a gente faz comunhão: de um orvalho e sua aranha, de uma tarde e suas garças, de um pássaro e sua árvore. Então eu trago das minhas raízes crianceiras a visão comungante e oblíqua das coisas. Eu sei dizer sem pudor que o escuro me ilumina. É um paradoxo que ajuda a poesia e que eu falo sem pudor. Eu tenho que essa visão oblíqua vem de eu ter sido criança em algum lugar perdido onde havia transfusão da natureza e comunhão com ela. Era o menino e os bichinhos. Era o menino e o sol. O menino e o rio. Era o menino e as árvores.

POEMAS CONCEBIDOS
SEM PECADO

SABASTIÃO

Todos eram iguais perante a lua
Menos só Sabastião, mas era diz-que louco daí pra fora
— Jacaré no seco anda? — preguntava.

Meu amigo Sabastião
Um pouco louco
Corria divinamente de jacaré. Tinha um
Que era da sela dele somentes
E estranhava as pessoas.

Naquele jacaré ele apostava corrida com qualquer peixe
Que esse Sabastião era ordinário!

Desencostado da terra
Sabastião
Meu amigo
Um pouco louco.

ANTONINHA-ME-LEVA

Outro caso é o de Antoninha-me-leva:
Mora num rancho no meio do mato e à noite recebe os
vaqueiros tem vez que de três e até quatro comitivas
Ela sozinha!

Um dia a preta Bonifácia quis ajudá-la e morreu.
Foi enterrada no terreiro com o seu casaco de flores.
Nessa noite Antoninha folgou.

Há muitas maneiras de viver mas essa de Antoninha era
de morte!

Não é sectarismo, titio.
Também se é comido pelas traças, como os vestidos.
A fome não é invenção de comunistas, titio.
Experimente receber três e até quatro comitivas de
boiadeiros por dia!

INFORMAÇÕES SOBRE A MUSA

Musa pegou no meu braço. Apertou.
Fiquei excitadinho pra mulher.
Levei ela pra um lugar ermo (que eu tinha que fazer uma
lírica):
— Musa, sopre de leve em meus ouvidos a doce poesia,
a de perdão para os homens, porém... quero seleção,
ouviu?
— Pois sim, gafanhoto, mas arreda a mão daí que a hora
é imprópria, sá?
Minha musa sabe asneirinhas
Que não deviam de andar
Nem na boca de um cachorro!
Um dia briguei com Ela
Fui pra debaixo da Lua
E pedi uma inspiração:
— Essa Lua que nas poesias dantes fazia papel
principal, não quero nem pra meu cavalo; e até logo, vou
gozar da vida; vocês poetas são uns intersexuais...
E por de japa ajuntou:
— Tenho uma coleguinha que lida com sonetos de dor
de corno; por que não vai nela?

FACE IMÓVEL

EU NÃO VOU PERTURBAR A PAZ

De tarde um homem tem esperanças.
Está sozinho, possui um banco.
De tarde um homem sorri.
Se eu me sentasse a seu lado
Saberia de seus mistérios
Ouviria até sua respiração leve.
Se eu me sentasse a seu lado
Descobriria o sinistro
Ou doce alento de vida
Que move suas pernas e braços.

Mas, ah! eu não vou perturbar a paz que ele depôs na
praça, quieto.

OS GIRASSÓIS DE VAN GOGH

Hoje eu vi
Soldados cantando por estradas de sangue
Frescura de manhãs em olhos de crianças
Mulheres mastigando as esperanças mortas

Hoje eu vi homens ao crepúsculo
Recebendo o amor no peito.
Hoje eu vi homens recebendo a guerra
Recebendo o pranto como balas no peito.

E, como a dor me abaixasse a cabeça,
Eu vi os girassóis ardentes de Van Gogh.

POESIAS

NA ENSEADA DE BOTAFOGO

Como estou só: Afago casas tortas,
Falo com o mar na rua suja…
Nu e liberto levo o vento
No ombro de losangos amarelos.

Ser menino aos trinta anos, que desgraça
Nesta borda de mar de Botafogo!
Que vontade de chorar pelos mendigos!
Que vontade de voltar para a fazenda!

Por que deixam um menino que é do mato
Amar o mar com tanta violência?

ODE VINGATIVA

Ela me encontrará pacífico, desvendável
Vendável, venal e de automóvel.
Ela me encontrará grave, sem mistérios, duro
Sério, claro como o sol sobre o muro.

Ela me encontrará bruto, burguês, imoral,
Capaz de defendê-la, de ofendê-la e perdoá-la;
Capaz de morrer por ela (ou então de matá-la)
Sem deixar bilhete literário no jornal.

Ela me encontrará sadio, apolítico, antiapocalíptico
Anticristão e, talvez, campeão de xadrez.
Ela me encontrará forte, primitivo, animal
Como planta, cavalo, como água mineral.

COMPÊNDIO PARA USO
DOS PÁSSAROS

O MENINO E O CÓRREGO

Ao Pedro

I

A água
é madura.
Com penas de garça.
Na areia tem raiz
de peixes e de árvores.

Meu córrego é de sofrer pedras
Mas quem beijar seu corpo
é brisas…

II

O córrego tinha um cheiro
de estrelas
nos sarãs anoitecidos

O córrego tinha
suas frondes
distribuídas
aos pássaros

O córrego ficava à beira
de um menino…

III

No chão da água
luava um pássaro
por sobre espumas
de haver estrelas

A água escorria
por entre as pedras
um chão sabendo
a aroma de ninhos.

IV

Ai
que transparente
aos voos
está o córrego!
E usado
de murmúrios...

V

Com a boca escorrendo chão
o menino despetalava o córrego
    de manhã todo no seu corpo.

A água do lábio relvou entre pedras...

Árvores com o rosto arreiado
    de seus frutos
    ainda cheiravam a verão
Durante borboletas com abril
esse córrego escorreu só pássaros...

UM BEM-TE-VI

O leve e macio
raio de sol
se põe no rio.
Faz arrebol...

Da árvore evola
amarelo, do alto
bem-te-vi-cartola
e, de um salto

pousa envergado
no bebedouro
a banhar seu louro

pelo enramado...
De arrepio, na cerca
já se abriu, e seca.

GRAMÁTICA EXPOSITIVA DO CHÃO

Antissalmo por um desherói

a boca na pedra o levara a cacto
a praça o relvava de passarinhos cantando
ele tinha o dom da árvore
ele assumia o peixe em sua solidão

seu amor o levara a pedra
estava estropiado de árvore e sol
estropiado até a pedra
até o canto
estropiado no seu melhor azul
procurava-se na palavra rebotalho
por cima do lábio era só lenda
comia o ínfimo com farinha
o chão viçava no olho
cada pássaro governava sua árvore

Deus ordenara nele a borra
o rosto e os livros com erva
andorinhas enferrujadas

DESARTICULADOS PARA VIOLA DE COCHO

Compadre Amaro: — Vai chuvê, irimão
Compadre Ventura: — Pruquê, irimão?
Compadre Amaro: — Saracura tá cantando
Compadre Ventura: — Ué, saracura é Deusi?,
                                  se fosse imbusi, sim...
NETO BOTELHO, in *Psicologia das mulatas do Catete,*
O vaqueiro metafísico e outras estórias demais

— Cumpadre antão
me responda: quem coaxa
exerce alguma raiz?

— Sapo, cumpadre, enraíza-se
em estrumes de anta

— E lagartixa,
que no muro anda,
come o quê?

— Come a lagartixa,
o musgo que o muro.
Senão.

— E martelo
grama de castela, móbile
estrela, bridão
lua e cambão
vulva e pilão, elisa
valise, nurse
pulvis e aldabras, que são?
— Palabras.

— E máquina
de dor
é de a vapor? brincar
de amarelinha
tem amarelos?
as porteiras do mundo
varas têm?
— Têm conformes.

— E o que grota
greta
lapa e lura são?
— São aonde o lobo
o coelho
e o erótico

— Cumpadre, e longe
é lugar nenhum
ou tem sitiante?
— Só se porém.

— E agora vancê confirme: pardal
é o esperto? roupa
até usa
dos espantalhos?

— É esperto, cumpadre,
não cai
do galho.

MATÉRIA DE POESIA

Todas as coisas cujos valores podem ser
disputados no cuspe à distância
servem para poesia

O homem que possui um pente
e uma árvore
serve para poesia

Terreno de 10 x 20, sujo de mato — os que
nele gorjeiam: detritos semoventes, latas
servem para poesia

Um chevrolé gosmento
Coleção de besouros abstêmios
O bule de Braque sem boca
são bons para poesia

As coisas que não levam a nada
têm grande importância

Cada coisa ordinária é um elemento de estima

Cada coisa sem préstimo
tem seu lugar
na poesia ou na geral

O que se encontra em ninho de joão-ferreira:
caco de vidro, garampos,
retratos de formatura,
servem demais para poesia

As coisas que não pretendem, como
por exemplo: pedras que cheiram
água, homens
que atravessam períodos de árvore,
se prestam para poesia

Tudo aquilo que nos leva a coisa nenhuma
e que você não pode vender no mercado
como, por exemplo, o coração verde
dos pássaros,
serve para poesia

As coisas que os líquenes comem
    — sapatos, adjetivos —
têm muita importância para os pulmões
da poesia

Tudo aquilo que a nossa
civilização rejeita, pisa e mija em cima,
serve para poesia

Os loucos de água e estandarte
servem demais
O traste é ótimo
O pobre-diabo é colosso

Tudo que explique
    o alicate cremoso
     e o lodo das estrelas
serve demais da conta

Pessoas desimportantes
dão pra poesia
qualquer pessoa ou escada

Tudo que explique
   a lagartixa da esteira
   e a laminação de sabiás
é muito importante para a poesia

O que é bom para o lixo é bom para a poesia

Importante sobremaneira é a palavra repositório;
a palavra repositório eu conheço bem:
   tem muitas repercussões
como um algibe entupido de silêncio
   sabe a destroços

As coisas jogadas fora
têm grande importância
— como um homem jogado fora

Aliás é também objeto de poesia
saber qual o período médio
que um homem jogado fora
pode permanecer na terra sem nascerem
em sua boca as raízes da escória

As coisas sem importância são bens de poesia

Pois é assim que um chevrolé gosmento chega
ao poema, e as andorinhas de junho.

O ABANDONO (PARTE FINAL)

A cidade mancava de uma rua até certo ponto;
   depois os cupins a comiam

A gente vivia por fora como asa
Rã se media na pedra

Ali, eu me atrapalhava de mato como se ele
   invadisse as ruínas de minha boca e a enchesse
   de frases com morcegos

Saudade me urinava na perna

Um moço de fora criava um peixe na mão
Na parte seca do olho, a paisagem tinha formigas
   mortas

Eu era sempre morto de lado com a cabeça virada
   pro mar e umas gramas de borboletas amarelas

Estadistas gastavam nos coretos frases furadas,
   já com vareja no ânus

A terra era santa e adubada

As mulheres tratavam-nos com uma bundura
   extraordinária

Tudo se resolvia com cambalhotas

Um homem pegava, para fazer seu retrato, pedaços
de tábua, conchas, sementes de cobra

O outro capengava de uma espécie de flor aberta
dentro dele

Um outro não podia atravessar a rua sem apodrecer

E um sexto ficava de muletas toda noite para
qualquer lagartixa

Do alto da torre dizia o poeta: eu faço uma
palavra equilibrar pratos no queixo…

Assim, borboletas chegavam em casa quase mortas
de silêncio

E as garças eram tarde demais.

ARRANJOS PARA ASSOBIO

(A um Pierrô de Picasso)

Pierrô é desfigura errante,
andarejo de arrebol.
Vivendo do que desiste,
se expressa melhor em inseto.

Pierrô tem um rosto de água
que se aclara com a máscara.
Sua descor aparece
como um rosto de vidro na água.

Pierrô tem sua vareja íntima:
é viciado em raiz de parede.
Sua postura tem anos
de amorfo e deserto.

Pierrô tem o seu lado esquerdo
atrelado aos escombros.
E o outro lado aos escombros.
....
Solidão tem um rosto de antro.

Há quem receite a palavra ao ponto de osso, de oco;
ao ponto de ninguém e de nuvem.
Sou mais a palavra com febre, decaída, fodida, na
sarjeta.
Sou mais a palavra ao ponto de entulho.
Amo arrastar algumas no caco de vidro, envergá-las
pro chão, corrompê-las
até que padeçam de mim e me sujem de branco.
Sonho exercer com elas o ofício de criado:
usá-las como quem usa brincos.

O poema é antes de tudo um inutensílio.

Hora de iniciar algum
convém se vestir roupa de trapo.

Há quem se jogue debaixo de carro
nos primeiros instantes.

Faz bem uma janela aberta
uma veia aberta.

Pra mim é uma coisa que serve de nada o poema
enquanto vida houver.

Ninguém é pai de um poema sem morrer.

SUJEITO

Usava um Dicionário do Ordinário
com 11 palavras de joelhos
inclusive bestego. Posava de esterco
para 13 adjetivos familiares,
inclusive bêbado.
Ia entre azul e sarjetas.
Tinha a voz de chão podre.
Tocava a fome a 12 bocas.
E achava mais importante fundar um verso
do que uma Usina Atômica!
Era um sujeito ordinário.

VISITA

Na cela de Pedro Norato, 23 anos de reclusão,
a morte sesteava de pernas abertas...
Dentre grades se alga, ele!
Tem o sono praguejado de coxas.
Contou que achara a mulher dentro de um pote e a
bebeu.
Sem amor é que encontramos com Deus — me diz.
O mundo não é perfeito como um cavalo — me diz.
Vê trinos de água nos relógios.
E para moscas bate continência.

Eu volto de sarjeta para casa.

LIVRO DE PRÉ-COISAS

AGROVAL

... onde pululam vermes de animais e
plantas e subjaz um erotismo criador genésico.
M. CAVALCANTI PROENÇA

Por vezes, nas proximidades dos brejos ressecos, se encontram arraias enterradas. Quando as águas encurtam nos brejos, a arraia escolhe uma terra propícia, pousa sobre ela como um disco, abre com as suas asas uma cama, faz chão úbere por baixo — e se enterra. Ali vai passar o período da seca. Parece uma roda de carreta adernada.

Com pouco, por baixo de suas abas, lateja um agroval de vermes, cascudos, girinos e tantas espécies de insetos e parasitas, que procuram o sítio como um ventre.

Ali, por debaixo da arraia, se instaura uma química de brejo. Um útero vegetal, insetal, natural. A troca de linfas, de reima, de rúmen que ali se instaura é como um grande tumor que lateja.

Faz-se debaixo da arraia a miniatura de um brejo. A vida que germinava no brejo transfere-se para o grande ventre preparado pela matrona arraia. É o próprio gromel dos cascudos!

Penso na troca de favores que se estabelece; no mutualismo; no amparo que as espécies se dão. Nas descargas de ajudas; no equilíbrio que ali se completa entre os rascunhos de vida dos seres minúsculos. Entre os corpos truncados. As teias ainda sem aranha. Os olhos ainda sem luz. As penas sem movimento. Os remendos de vermes. Os bulbos de cobras. Arquétipos de carunchos.

Penso nos embriões dos atos. Uma boca disforme de rapa-canoa que começa a querer se grudar nas coisas. Rudimentos rombudos de um olho de árvore. Os indícios de ínfimas sociedades. Os liames primordiais entre paredes e lesmas. Também os germes das primeiras ideias de uma convivência entre lagartos e pedras. O embrião de um muçum sem estames, que renega ter asas. Antepassados de antúrios e borboletas que procuram uma nesga de sol.

Penso num comércio de frisos e de asas, de sucos de sêmen e de pólen, de mudas de escamas, de pus e de sementes. Um comércio de cios e cantos virtuais; de gosma e de lêndeas; de cheiro de íncolas e de rios cortados. Comércio de pequenas jias e suas conas redondas. Inacabados orifícios de tênias implumes. Um comércio corcunda de armaus e de traças; de folhas recolhidas por formigas; de orelhas-de-pau ainda em larva. Comércio de hermafroditas de instintos adesivos. As veias rasgadas de um escuro besouro. O sapo rejeitando sua infame cauda. Um comércio de anéis de escorpiões e sementes de peixe.

E ao cabo de três meses de trocas e infusões — a chuva começa a descer. E a arraia vai levantar-se. Seu corpo deu sangue e bebeu. Na carne ainda está embutido o fedor de um carrapato. De novo ela caminha para os brejos refertos. Girinos pretos de rabinhos e olhos de feto fugiram do grande útero, e agora já fervem nas águas das chuvas.

É a pura inauguração de um outro universo. Que vai corromper, irromper, irrigar e recompor a natureza.

Uma festa de insetos e aves no brejo!

NOS PRIMÓRDIOS

Era só água e sol de primeiro este recanto. Meninos cangavam sapos. Brincavam de primo com prima. Tordo ensinava o brinquedo "primo com prima não faz mal: finca finca". Não havia instrumento musical. Os homens tocavam gado. As coisas ainda inominadas. Como no começo dos tempos. Logo se fez a piranha. Em seguida os domingos e feriados. Depois os cuiabanos e os beira-corgos. Por fim o cavalo e o anta batizado.

Nem precisaram dizer crescei e multiplicai. Pois já se faziam filhos e piadas com muita animosidade.

Conhecimentos vinham por infusão pelo faro dos bugres pelos mascates.

O homem havia sido posto ali nos inícios para campear e hortar. Porém só pensava em lombo de cavalo. De forma que só campeava e não hortava.

Daí que campear se fez de preferência por ser atividade livre e andeja. Enquanto que hortar prendia o ente no cabo da enxada. O que não era bom.

No começo contudo enxada teve seu lugar. Prestava para o peão encostar-se nela a fim de prover seu cigarrinho de palha. Depois, com o desaparecimento do cigarro de palha, constatou-se a inutilidade das enxadas.

— O homem tinha mais o que não fazer!

Foi muito soberano mesmo no começo dos tempos este cortado. Burro não entrava em seus pastos. Só porque burro não pega perto.* Porém já hoje há quem trate os burros como cavalo. O que é uma distinção.

---

* Burro não pega perto é expressão pantaneira. Nas lides de campear o pantaneiro usa o cavalo, que é veloz e alcança a rês desgarrada rapidamente. O cavalo pega perto. Mas o burro, não sendo veloz, alcança longe a rês desgarrada. Por isso se diz que o burro não pega perto. (N. A.)

O QUERO-QUERO

Natureza será que preparou o quero-quero para o mister de avisar? No meio-dia, se você estiver fazendo sesta completa, ele interrompe. Se está o vaqueiro armando laço por perto, em lugar despróprio, ele bronca. Se está o menino caçando inseto no brejo, ele grita naquele som arranhado que tem parte com arara. Defende-se como touro. E faz denúncias como um senador romano.

Quero-quero tem uma vida obedecida, contudo. Ele cumpre Jesus. Cada dia com sua tarefa. Tempo de comer é tempo de comer. Tempo de criar, de criar.

É pássaro mais de amar que de trabalhar.

De forma que não sobra ócio ao quero-quero para arrumar o ninho. Que faz em beira de estrada, em parcas depressões de terreno, e mesmo aproveitando sulcos deixados por cascos de animal.

Gosta de aproveitar os sulcos da natureza e da vida. Assim, nesses recalques, se estabelece o quero-quero, já de oveira plena, depois de amar pelos brejos perdida e avoadoramente.

E porque muito amou e se ganhou de amar desperdiçadamente, seu lar não construiu. E vai conceber no chão limpo. No limpo das campinas. Num pedaço de trampa enluaçada. Ou num aguaçal de estrelas.

Em tempo de namoro quero-quero é boêmio. Não aprecia galho de árvore para o idílio. Só conversa no chão. No chão e no largo. Qualquer depressãozinha é cama. Nem varre o lugar para o amor. Faz que nem boliviana. Que se jogue a cama na rua na hora do prazer, para que todos vejam e todos participem. Pra que todos escutem.

Não usa o silêncio como arte.

Quero-quero no amor é desbocado. Passarinho de intimidades descobertas. Tem uma filosofia nua, de vida muito desabotoada e livre.

Depois de achado o ninho e posto o ovo porém, vira um guerreiro o quero-quero. Se escuta passo de gente se espeta em guarda. Tem parenteza com sentinela. Investe de esporão sobre os passantes. E avisa os semoventes de redores.

Disse que pula bala. Sei que ninguém o desfolha. Tem misca de carrapato em sua carne exígua. Debaixo da asa guarda esse ocarino redoleiro pra de-comer dos filhotes.

De olhos ardidos, as finas botas vermelhas, não pode ver ninguém perto do ninho, que se arrepia e enfeza, como um ferrabrás.

Passarinho de topete na nuca, esse!

A NOSSA GARÇA

Penso que têm nostalgia de mar estas garças pantaneiras. São viúvas de Xaraés? Alguma coisa em azul e profundidade lhes foi arrancada. Há uma sombra de dor em seus voos. Assim, quando vão de regresso aos seus ninhos, enchem de entardecer os campos e os homens.

Sobre a dor dessa ave há uma outra versão, que eu sei. É a de não ser ela uma ave canora. Pois que só grasna — como quem rasga uma palavra.

De cantos portanto não é que se faz a beleza desses pássaros. Mas de cores e movimentos. Lembram Modigliani. Produzem no céu iluminuras. E propõem esculturas no ar.

A Elegância e o Branco devem muito às garças.

Chegam de onde a beleza nasceu?

Nos seus olhos nublados eu vejo a flora dos corixos. Insetos de camalotes florejam de suas rêmiges. E andam pregadas em suas carnes larvas de sapos.

Aqui seu voo adquire raízes de brejo. Sua arte de ver caracóis nos escuros da lama é um dom de brancura.

À força de brancuras a garça se escora em versos com lodo?

(Acho que estou querendo ver coisas demais nestas garças. Insinuando contrastes — ou conciliações? — entre o puro e o impuro etc. etc. Não estarei impregnando de peste humana esses passarinhos? Que Deus os livre!)

O GUARDADOR DE ÁGUAS

Esse é Bernardo. Bernardo da Mata. Apresento.
Ele faz encurtamento de águas.
Apanha um pouco de rio com as mãos e espreme nos vidros
Até que as águas se ajoelhem
Do tamanho de uma lagarta nos vidros.
No falar com as águas rãs o exercitam.
Tentou encolher o horizonte
No olho de um inseto — e obteve!
Prende o silêncio com fivela.
Até os caranguejos querem ele para chão.
Viu as formigas carreando na estrada duas pernas de ocaso
para dentro de um oco... E deixou.
Essas formigas pensavam em seu olho.
É homem percorrido de existências.
Estão favoráveis a ele os camaleões.
Espraiado na tarde —
Como a foz de um rio — Bernardo se inventa...
Lugarejos cobertos de limo o imitam.
Passarinhos aveludam seus cantos quando o veem.

De tonto tenho roupa e caderneta.
Eu sei desigualar por três.
Já gostei muito de mula
E Estação de Estrada de Ferro.
Depois troquei por anu-branco
E Estação de Estrada de Ferro.
Hoje gosto de santo e peneira.
Uma dona me orvalha sanguemente.
O que no alforje eu trago
É um azul arriscado a pássaros...
Eu sei o nome das letras.
E desenvolvo moscas em peneira.
Sou muito lateralmente entretontos.
O que desabre o ser é ver e ver-se.
Aragem cor de roupa me resplende.

SEIS OU TREZE COISAS
QUE EU APRENDI SOZINHO

1.

Gravata de urubu não tem cor.
Fincando na sombra um prego ermo, ele nasce.
Luar em cima de casa exorta cachorro.
Em perna de mosca salobra as águas cristalizam.
Besouros não ocupam asas para andar sobre fezes.
Poeta é um ente que lambe as palavras e depois se alucina.
No osso da fala dos loucos há lírios.

[...]

13.

Seu França não presta pra nada —
Só pra tocar violão.
De beber água no chapéu, as formigas já sabem quem ele é.
Não presta pra nada.
Mesmo que dizer:
— Povo que gosta de resto de sopa é mosca.
Disse que precisa de não ser ninguém toda vida.
De ser o nada desenvolvido.
E disse que o artista tem origem nesse ato suicida.

RETRATO QUASE APAGADO EM QUE
SE PODE VER PERFEITAMENTE NADA

I

Não tenho bens de acontecimentos.
O que não sei fazer desconto nas palavras.
Entesouro frases. Por exemplo:
— Imagens são palavras que nos faltaram.
— Poesia é a ocupação da palavra pela Imagem.
— Poesia é a ocupação da Imagem pelo Ser.
Ai frases de pensar!
Pensar é uma pedreira. Estou sendo.
Me acho em petição de lata (frase encontrada no lixo).
Concluindo: há pessoas que se compõem de atos, ruídos,
retratos.
Outras de palavras.
Poetas e tontos se compõem com palavras.

II

Todos os caminhos — nenhum caminho
Muitos caminhos — nenhum caminho
Nenhum caminho — a maldição dos poetas.

[...]

V

Escrever nem uma coisa
Nem outra —

A fim de dizer todas —
Ou, pelo menos, nenhumas.

Assim,
Ao poeta faz bem
Desexplicar —
Tanto quanto escurecer acende os vaga-lumes.

CONCERTO A CÉU ABERTO PARA SOLOS DE AVE

Quando eu nasci
   o silêncio foi aumentado.
Meu pai sempre entendeu
Que eu era torto
Mas sempre me aprumou.
Passei anos me procurando por lugares nenhuns.
Até que não me achei — e fui salvo.
Às vezes caminhava como se fosse um bulbo.

CADERNO DE ANDARILHO

APRESENTAÇÃO

Eu quando conheci o Aristeu —
 ele estava em final de árvore.
E andava por aldeias em santidade de zínias.
O ermo fazia curvas para ele.
Subiam-lhe caracóis ao manto.
O que Gogol falou sobre Akaki Akakievitch,
eu diria de Aristeu:
"Um homem que desceu à sepultura sem ter
realizado um só ato excepcional."
Inventava descobrimentos:
Que a estridência dos grilos durante o cio
aumenta 75 vezes. E peixe não tem honra.
Difícil de provar a desonra dos peixes; mesmo
com fita métrica...
Como é difícil de provar que em abril as
manhãs recebem com mais ternura os
passarinhos.
Exerci alguns anos ao lado de Aristeu a
profissão de urubuzeiro (o trabalho era
espantar os urubus dos tendais de uma
charqueada).
Com esses exercícios os nossos
desconhecimentos aumentaram bem.
As coisas sem nome apareciam melhor.
Vimos até que os cantos podem ser ouvidos em
forma de asas.

PREFÁCIO

Assim é que elas foram feitas (todas as coisas) —
sem nome.
Depois é que veio a harpa e a fêmea em pé.
Insetos errados de cor caíam no mar.
A voz se estendeu na direção da boca.
Caranguejos apertavam mangues.
Vendo que havia na terra
        dependimentos demais
e tarefas muitas —
os homens começaram a roer unhas.
Ficou certo pois não
que as moscas iriam iluminar
        o silêncio das coisas anônimas.
Porém, vendo o Homem
que as moscas não davam conta de iluminar o
silêncio das coisas anônimas —
passaram essa tarefa para os poetas.

O LIVRO DAS IGNORÃÇAS

No descomeço era o verbo.

Só depois é que veio o delírio do verbo.

O delírio do verbo estava no começo, lá onde a
criança diz: *Eu escuto a cor dos passarinhos.*

A criança não sabe que o verbo escutar não funciona
para cor, mas para som.

Então se a criança muda a função de um verbo, ele
delira.

E pois.

Em poesia que é voz de poeta, que é a voz de fazer
nascimentos —

O verbo tem que pegar delírio.

Para entrar em estado de árvore é preciso partir de
um torpor animal de lagarto às três horas da tarde,
no mês de agosto.
Em dois anos a inércia e o mato vão crescer em
nossa boca.
Sofreremos alguma decomposição lírica até o mato
sair na voz.

Hoje eu desenho o cheiro das árvores.

O rio que fazia uma volta atrás de nossa casa era a
imagem de um vidro mole que fazia uma volta atrás
de casa.
Passou um homem depois e disse: Essa volta que o
rio faz por trás de sua casa se chama enseada.
Não era mais a imagem de uma cobra de vidro que
fazia uma volta atrás de casa.
Era uma enseada.
Acho que o nome empobreceu a imagem.

O mundo meu é pequeno, Senhor.
Tem um rio e um pouco de árvores.
Nossa casa foi feita de costas para o rio.
Formigas recortam roseiras da avó.
Nos fundos do quintal há um menino e suas latas
    maravilhosas.
Seu olho exagera o azul.
Todas as coisas deste lugar já estão comprometidas
    com aves.
Aqui, se o horizonte enrubesce um pouco, os
    besouros pensam que estão no incêndio.
Quando o rio está começando um peixe,
                                    Ele me coisa
Ele me rã
Ele me árvore.
De tarde um velho tocará sua flauta para inverter os
    ocasos.

Descobri aos 13 anos que o que me dava prazer nas
    leituras não era a beleza das frases, mas a doença
    delas.
Comuniquei ao Padre Ezequiel, um meu Preceptor,
    esse gosto esquisito.
Eu pensava que fosse um sujeito escaleno.
— Gostar de fazer defeitos na frase é muito saudável,
    o Padre me disse.
Ele fez um limpamento em meus receios.
O Padre falou ainda: Manoel, isso não é doença,
    pode muito que você carregue para o resto da
    vida um certo gosto por nadas...
E se riu.
Você não é de bugre? — ele continuou.
Que sim, eu respondi.
Veja que bugre só pega por desvios, não anda em
    estradas —
Pois é nos desvios que encontra as melhores
    surpresas e os ariticuns maduros.
Há que apenas saber errar bem o seu idioma.
Esse Padre Ezequiel foi o meu primeiro professor de
    agramática.

Bernardo é quase árvore.

Silêncio dele é tão alto que os passarinhos ouvem
de longe.

E vêm pousar em seu ombro.

Seu olho renova as tardes.

Guarda num velho baú seus instrumentos de trabalho:

1 abridor de amanhecer

1 prego que farfalha

1 encolhedor de rios — e

1 esticador de horizontes.

(Bernardo consegue esticar o horizonte usando três
fios de teias de aranha. A coisa fica bem
esticada.)

Bernardo desregula a natureza:

Seu olho aumenta o poente.

(Pode um homem enriquecer a natureza com a sua
incompletude?)

AUTORRETRATO FALADO

Venho de um Cuiabá garimpo e de ruelas entortadas.
Meu pai teve uma venda de bananas no Beco da
    Marinha, onde nasci.
Me criei no Pantanal de Corumbá, entre bichos do
    chão, pessoas humildes, aves, árvores e rios.
Aprecio viver em lugares decadentes por gosto de
    estar entre pedras e lagartos.
Fazer o desprezível ser prezado é coisa que me apraz.
Já publiquei 10 livros de poesia; ao publicá-los me
    sinto como que desonrado e fujo para o
    Pantanal onde sou abençoado a garças.
Me procurei a vida inteira e não me achei — pelo
    que fui salvo.
Descobri que todos os caminhos levam à ignorância.
Não fui para a sarjeta porque herdei uma fazenda de
    gado. Os bois me recriam.
Agora eu sou tão ocaso!
Estou na categoria de sofrer do moral, porque só
    faço coisas inúteis.
No meu morrer tem uma dor de árvore.

LIVRO SOBRE NADA

O pai morava no fim de um lugar.

Aqui é lacuna de gente — ele falou:

Só quase que tem bicho andorinha e árvore.

Quem aperta o botão do amanhecer é o arãquã.

Um dia apareceu por lá um doutor formado: cheio
de suspensórios e ademanes.

Na beira dos brejos gaviões-caranguejeiros comiam
caranguejos.

E era mesma a distância entre as rãs e a relva.

A gente brincava com terra.

O doutor apareceu. Disse: Precisam de tomar
anquilostomina.

Perto de nós sempre havia uma espera de rolinhas.

O doutor espantou as rolinhas.

À mesa o doutor perorou: Vocês é que são felizes porque moram neste Empíreo.

Meu pai cuspiu o *empíreo* de lado.

O doutor falava bobagens conspícuas.

Mano Preto aproveitou: Grilo é um ser imprestável para o silêncio.

Mano Preto não tinha entidade pessoal, só coisal.

(Seria um defeito de Deus?)

A gente falava bobagens de à brinca, mas o doutor falava de à vera.

O pai desbrincou de nós:

Só o obscuro nos cintila.

Bugrinha boquiabriu-se.

Depois de ter entrado para rã, para árvore, para pedra
— meu avô começou a dar germínios.

Queria ter filhos com uma árvore.

Sonhava de pegar um casal de lobisomem para ir
vender na cidade.

Meu avô ampliava a solidão.

No fim da tarde, nossa mãe aparecia nos fundos do
quintal: Meus filhos, o dia já envelheceu,[1] entrem pra
dentro.

Um lagarto atravessou meu olho e entrou para o mato.

Se diz que o lagarto entrou nas folhas, que folhou.

[1] *Aí a nossa mãe deu entidade pessoal ao dia. Ela deu ser ao dia. E ele envelheceu como um homem envelhece. Talvez fosse a maneira que a mãe encontrou para aumentar as pessoas daquele lugar que era lacuna de gente.*

Prefiro as linhas tortas, como Deus. Em menino eu sonhava de ter uma perna mais curta (Só pra poder andar torto). Eu via o velho farmacêutico de tarde, a subir a ladeira do beco, torto e deserto... toc ploc toc ploc. Ele era um destaque.

Se eu tivesse uma perna mais curta, todo mundo haveria de olhar para mim: lá vai o menino torto subindo a ladeira do beco toc ploc toc ploc.

Eu seria um destaque. A própria sagração do Eu.

Não é por me gavar

   mas eu não tenho esplendor.

Sou referente pra ferrugem

   mais do que referente pra fulgor.

Trabalho arduamente para fazer o que é desnecessário.

O que presta não tem confirmação,

   o que não presta, tem.

Não serei mais um pobre-diabo que sofre de nobrezas.

Só as coisas rasteiras me celestam.

Eu tenho cacoete pra vadio.

As violetas me imensam.

Carrego meus primórdios num andor.
Minha voz tem um vício de fontes.
Eu queria avançar para o começo.
Chegar ao criançamento das palavras.
Lá onde elas ainda urinam na perna.
Antes mesmo que sejam modeladas pelas mãos.
Quando a criança garatuja o verbo para falar o que
não tem.
Pegar no estame do som.
Ser a voz de um lagarto escurecido.
Abrir um descortínio para o arcano.

Sei que fazer o inconexo aclara as loucuras.

Sou formado em desencontros.

A sensatez me absurda.

Os delírios verbais me terapeutam.

Posso dar alegria ao esgoto (palavra aceita tudo).

(E sei de Baudelaire que passou muitos meses tenso porque não encontrava um título para os seus poemas. Um título que harmonizasse os seus conflitos. Até que apareceu *Flores do mal.* A beleza e a dor. Essa antítese o acalmou.)

As antíteses congraçam.

Vi um prego do Século XIII, enterrado até o meio numa parede de 3 x 4, branca, na XXIII Bienal de Artes Plásticas de São Paulo, em 1994.

Meditei um pouco sobre o prego.

O que restou por decidir foi: se o objeto enferrujado seria mesmo do Século XIII ou do XII?

Era um prego sozinho e indiscutível.

Podia ser um anúncio de solidão.

Prego é uma coisa indiscutível.

Venho de nobres que empobreceram.
Restou-me por fortuna a soberbia.
Com esta doença de grandezas:
Hei de monumentar os insetos!
(Cristo monumentou a Humildade quando beijou os
pés dos seus discípulos.
São Francisco monumentou as aves.
Vieira, os peixes.
Shakespeare, o Amor, A Dúvida, os tolos.
Charles Chaplin monumentou os vagabundos.)
Com esta mania de grandeza:
Hei de monumentar as pobres coisas do chão mijadas
de orvalho.

AS LIÇÕES DE R.Q.

Aprendi com Rômulo Quiroga (um pintor boliviano):
A expressão reta não sonha.
Não use o traço acostumado.
A força de um artista vem das suas derrotas.
Só a alma atormentada pode trazer para a voz um
formato de pássaro.
Arte não tem pensa:
O olho vê, a lembrança revê, e a imaginação transvê.
É preciso transver o mundo.
Isto seja:
Deus deu a forma. Os artistas desformam.
É preciso desformar o mundo:
Tirar da natureza as naturalidades.
Fazer cavalo verde, por exemplo.
Fazer noiva camponesa voar — como em Chagall.

Agora é só puxar o alarme do silêncio que eu saio por
aí a desformar.

Até já inventei mulher de 7 peitos para fazer vaginação
comigo.

O ANDARILHO

Eu já disse quem sou Ele.
Meu desnome é Andaleço.
Andando devagar eu atraso o final do dia.
Caminho por beiras de rios conchosos.
Para as crianças da estrada eu sou o Homem do Saco.
Carrego latas furadas, pregos, papéis usados.
(Ouço harpejos de mim nas latas tortas.)
Não tenho pretensões de conquistar a inglória perfeita.
Os loucos me interpretam.
A minha direção é a pessoa do vento.
Meus rumos não têm termômetro.
De tarde arborizo pássaros.
De noite os sapos me pulam.
Não tenho carne de água.
Eu pertenço de andar atoamente.
Não tive estudamento de tomos.
Só conheço as ciências que analfabetam.
Todas as coisas têm ser?[1]
Sou um sujeito remoto.
Aromas de jacintos me infinitam.
E estes ermos me somam.

[1] *Penso que devemos conhecer algumas poucas cousas sobre a fisiologia dos andarilhos. Avaliar até onde o isolamento tem o poder de influir sobre os seus gestos, sobre a abertura de sua voz etc. Estudar talvez a relação desse homem com as suas árvores, com as suas chuvas, com as suas pedras. Saber mais ou menos quanto tempo o andarilho pode permanecer em suas condições humanas, antes de se adquirir do chão a modo de um sapo. Antes de se unir às vergônteas como as parasitas. Antes de revestir uma pedra à maneira do limo. Antes mesmo de ser apropriado por relentos como os lagartos. Saber com exatidão quando que um modelo de pássaro se ajustará à sua voz. Saber o momento em que esse homem poderá sofrer de prenúncios. Saber enfim qual o momento em que esse homem começa a adivinhar.*

RETRATO DO ARTISTA QUANDO COISA

Retrato do artista quando coisa: borboletas
Já trocam as árvores por mim.
Insetos me desempenham.
Já posso amar as moscas como a mim mesmo.
Os silêncios me praticam.
De tarde um dom de latas velhas se atraca
em meu olho
Mas eu tenho predomínio por lírios.
Plantas desejam a minha boca para crescer
por de cima.
Sou livre para o desfrute das aves.
Dou meiguice aos urubus.
Sapos desejam ser-me.
Quero cristianizar as águas.
Já enxergo o cheiro do sol.

Uso um deformante para a voz.
Em mim funciona um forte encanto a tontos.
Sou capaz de inventar uma tarde a partir de
uma garça.
Sou capaz de inventar um lagarto a partir de
uma pedra.
Tenho um senso apurado de irresponsabilidades.
Não sei de tudo quase sempre quanto nunca.
Experimento o gozo de criar.
Experimento o gozo de Deus.
Faço vaginação com palavras até meu retrato
aparecer.
Apareço de costas.
Preciso de atingir a escuridão com clareza.
Tenho de laspear verbo por verbo até alcançar
o meu aspro.
Palavras têm que adoecer de mim para que se
tornem mais saudáveis.
Vou sendo incorporado pelas formas pelos
cheiros pelo som pelas cores.
Deambulo aos esgarços.
Vou deixando pedaços de mim no cisco.
O cisco tem agora para mim uma importância
de Catedral.

Aprendo com abelhas do que com aeroplanos.
É um olhar para baixo que eu nasci tendo.
É um olhar para o ser menor, para o
insignificante que eu me criei tendo.
O ser que na sociedade é chutado como uma
barata — cresce de importância para o meu
olho.
Ainda não entendi por que herdei esse olhar
para baixo.
Sempre imagino que venha de ancestralidades
machucadas.
Fui criado no mato e aprendi a gostar das
coisinhas do chão —
Antes que das coisas celestiais.
Pessoas pertencidas de abandono me comovem:
tanto quanto as soberbas coisas ínfimas.

Este é um caderno de haver frases nele.
Um rio passa perto.
Estou sentado no barranco do rio.
Emas no pátio engolem cobras.
Uma formiga está de boca aberta para a tarde.
As quatro patas da formiga tentam abraçar o sol.
Na verdade, não sei se são as patas da formiga
que tentam abraçar o sol
Ou se são minhas frases que desejam fazer esse
trabalho.
Agora uma brisa me garça.
E os arrebóis latejam.

Quando o mundo abandonar o meu olho.
Quando o meu olho furado de belezas for
esquecido pelo mundo.
Que hei de fazer?
Quando o silêncio que grita de meu olho não
for mais escutado.
Que hei de fazer?
Que hei de fazer se de repente a manhã voltar?
Que hei de fazer?
— Dormir, talvez chorar.

A menina apareceu grávida de um gavião.
Veio falou para a mãe: O gavião me desmoçou.
A mãe disse: Você vai parir uma árvore para
a gente comer goiaba nela.
E comeram goiaba.
Naquele tempo de dantes não havia limites
para ser.
Se a gente encostava em ser ave ganhava o
poder de alçar.
Se a gente falasse a partir de um córrego
a gente pegava murmúrios.
Não havia comportamento de estar.
Urubus conversavam sobre auroras.
Pessoas viravam árvore.
Pedras viravam rouxinóis.
Depois veio a ordem das coisas e as pedras
têm que rolar seu destino de pedra para o resto
dos tempos.
Só as palavras não foram castigadas com
a ordem natural das coisas.
As palavras continuam com os seus deslimites.

ENSAIOS FOTOGRÁFICOS

O FOTÓGRAFO

Difícil fotografar o silêncio.
Entretanto tentei. Eu conto:
Madrugada a minha aldeia estava morta.
Não se ouvia um barulho, ninguém passava entre
as casas.
Eu estava saindo de uma festa.
Eram quase quatro da manhã.
Ia o Silêncio pela rua carregando um bêbado.
Preparei minha máquina.
O silêncio era um carregador?
Estava carregando o bêbado.
Fotografei esse carregador.
Tive outras visões naquela madrugada.
Preparei minha máquina de novo.
Tinha um perfume de jasmim no beiral de um sobrado.
Fotografei o perfume.
Vi uma lesma pregada na existência mais do que na
pedra.
Fotografei a existência dela.
Vi ainda um azul-perdão no olho de um mendigo.
Fotografei o perdão.
Olhei uma paisagem velha a desabar sobre uma casa.
Fotografei o sobre.
Foi difícil fotografar o sobre.
Por fim eu enxerguei a *Nuvem de calça*.
Representou para mim que ela andava na aldeia de
braços com Maiakovski — seu criador.
Fotografei a *Nuvem de calça* e o poeta.
Ninguém outro poeta no mundo faria uma roupa
mais justa para cobrir a sua noiva.
A foto saiu legal.

GORJEIOS

Gorjeio é mais bonito do que canto porque nele se
inclui a sedução.
É quando a pássara está enamorada que ela gorjeia.
Ela se enfeita e bota novos meneios na voz.
Seria como perfumar-se a moça para ver o namorado.
É por isso que as árvores ficam loucas se estão gorjeadas.
É por isso que as árvores deliram.
Sob o efeito da sedução da pássara as árvores deliram.
E se orgulham de terem sido escolhidas para o concerto.
As flores dessas árvores depois nascerão mais perfumadas.

DESPALAVRA

Hoje eu atingi o reino das imagens, o reino da
despalavra.
Daqui vem que todas as coisas podem ter qualidades
humanas.
Daqui vem que todas as coisas podem ter qualidades
de pássaros.
Daqui vem que todas as pedras podem ter qualidades
de sapo.
Daqui vem que todos os poetas podem ter qualidades
de árvore.
Daqui vem que os poetas podem arborizar os pássaros.
Daqui vem que todos os poetas podem humanizar
as águas.
Daqui vem que os poetas devem aumentar o mundo
com as suas metáforas.
Que os poetas podem ser pré-coisas, pré-vermes,
podem ser pré-musgos.
Daqui vem que os poetas podem compreender
o mundo sem conceitos.
Que os poetas podem refazer o mundo por imagens,
por eflúvios, por afeto.

AUTORRETRATO

Ao nascer eu não estava acordado, de forma que
não vi a hora.
Isso faz tempo.
Foi na beira de um rio.
Depois eu já morri 14 vezes.
Só falta a última.
Escrevi 14 livros
E deles estou livrado.
São todos repetições do primeiro.
(Posso fingir de outros, mas não posso fugir de mim.)
Já plantei dezoito árvores, mas pode que só quatro.
Em pensamento e palavras namorei noventa moças,
mas pode que nove.
Produzi desobjetos, 35, mas pode que onze.
Cito os mais bolinados: um alicate cremoso, um
abridor de amanhecer, uma fivela de prender silêncios,
um prego que farfalha, um parafuso de veludo etc etc.
Tenho uma confissão: noventa por cento do que
escrevo é invenção; só dez por cento que é mentira.
Quero morrer no barranco de um rio: — sem moscas
na boca descampada!

O POETA

Vão dizer que não existo propriamente dito.
Que sou um ente de sílabas.
Vão dizer que eu tenho vocação pra ninguém.
Meu pai costumava me alertar:
Quem acha bonito e pode passar a vida a ouvir o som
das palavras
Ou é ninguém ou zoró.
Eu teria treze anos.
De tarde fui olhar a Cordilheira dos Andes que
se perdia nos longes da Bolívia
E veio uma iluminura em mim.
Foi a primeira iluminura.
Daí botei meu primeiro verso:
Aquele morro bem que entorta a bunda da paisagem.
Mostrei a obra pra minha mãe.
A mãe falou:
Agora você vai ter que assumir as suas
irresponsabilidades.
Eu assumi: entrei no mundo das imagens.

PALAVRAS

Veio me dizer que eu desestruturo a linguagem. Eu desestruturo a linguagem? Vejamos: eu estou bem sentado num lugar. Vem uma palavra e tira o lugar de debaixo de mim. Tira o lugar em que eu estava sentado. Eu não fazia nada para que a palavra me desalojasse daquele lugar. E eu nem atrapalhava a passagem de ninguém. Ao retirar de debaixo de mim o lugar, eu desaprumei. Ali só havia um grilo com a sua flauta de couro. O grilo feridava o silêncio. Os moradores do lugar se queixavam do grilo. Veio uma palavra e retirou o grilo da flauta. Agora eu pergunto: quem desestruturou a linguagem? Fui eu ou foram as palavras? E o lugar que retiraram de debaixo de mim? Não era para terem retirado a mim do lugar? Foram as palavras pois que desestruturaram a linguagem. E não eu.

TRATADO GERAL DAS GRANDEZAS DO ÍNFIMO

O CISCO

(Tem vez que a natureza ataca o cisco para o bem.)
Principais elementos do cisco são: gravetos, areia,
cabelos, pregos, trapos, ramos secos, asas de mosca,
grampos, cuspe de aves, etc.
Há outros componentes do cisco, porém de menos
importância.
Depois de completo, o cisco se ajunta, com certa
humildade, em beiras de ralos, em raiz de parede,
Ou, depois das enxurradas, em alguma depressão de
terreno.
Mesmo bem rejuntado o cisco produz volumes quase
sempre modestos.
O cisco é infenso a fulgurâncias.
Depois de assentado em lugar próprio, o cisco
produz material de construção para ninhos de
passarinhos.
Ali os pássaros vão buscar raminhos secos, trapos,
asas de mosca
Para a feitura de seus ninhos.
O cisco há de ser sempre aglomerado que se iguala
a restos.
Que se iguala a restos a fim de obter a contemplação
dos poetas.
Aliás, Lacan entregava aos poetas a tarefa de
contemplação dos restos.
E Barthes completava: Contemplar os restos é
narcisismo.
Ai de nós!
Porque Narciso é a pátria dos poetas.

Um dia pode ser que o lírio nascido nos monturos
empreste qualidade de beleza ao cisco.
Tudo pode ser.
Até sei de pessoas que propendem a cisco mais do
que a seres humanos.

POEMA

A poesia está guardada nas palavras — é tudo que
eu sei.
Meu fado é o de não saber quase tudo.
Sobre o nada eu tenho profundidades.
Não tenho conexões com a realidade.
Poderoso para mim não é aquele que descobre ouro.
Para mim poderoso é aquele que descobre as
insignificâncias (do mundo e as nossas).
Por essa pequena sentença me elogiaram de imbecil.
Fiquei emocionado e chorei.
Sou fraco para elogios.

INFANTIL

O menino ia no mato
E a onça comeu ele.
Depois o caminhão passou por dentro do corpo do
menino
E ele foi contar para a mãe.
A mãe disse: Mas se a onça comeu você, como é que
o caminhão passou por dentro do seu corpo?
É que o caminhão só passou renteando meu corpo
E eu desviei depressa.
Olha, mãe, eu só queria inventar uma poesia.
Eu não preciso de fazer razão.

SOBRE IMPORTÂNCIAS

Uma rã se achava importante
Porque o rio passava nas suas margens.
O rio não teria grande importância para a rã
Porque era o rio que estava ao pé dela.
Pois Pois.
Para um artista aquele ramo de luz sobre uma lata
desterrada no canto de uma rua, talvez para um
fotógrafo, aquele pingo de sol na lata seja mais
importante do que o esplendor do sol nos oceanos.
Pois Pois.
Em Roma, o que mais me chamou atenção foi um
prédio que ficava em frente das pombas.
O prédio era de estilo bizantino do século IX.
Colosso!
Mas eu achei as pombas mais importantes do que o
prédio.
Agora, hoje, eu vi um sabiá pousado na Cordilheira
dos Andes.
Achei o sabiá mais importante do que a Cordilheira
dos Andes.
O pessoal falou: seu olhar é distorcido.
Eu, por certo, não saberei medir a importância das
coisas: alguém sabe?
Eu só queria construir nadeiras para botar nas
minhas palavras.

POIS POIS

O Padre Antônio Vieira pregava de encostar as orelhas
na boca do bárbaro.
Que para ouvir as vozes do chão
Que para ouvir a fala das águas
Que para ouvir o silêncio das pedras
Que para ouvir o crescimento das árvores
E as origens do Ser. Pois Pois.
Bernardo da Mata nunca fez outra coisa
Que ouvir as vozes do chão
Que ouvir o perfume das cores
Que ver o silêncio das formas
E o formato dos cantos. Pois Pois.
Passei muitos anos a rabiscar, neste caderno, os
escutamentos de Bernardo.
Ele via e ouvia inexistências.
Eu penso agora que esse Bernardo tem cacoete para
poeta.

POEMAS RUPESTRES

Por viver muitos anos dentro do mato
moda ave
O menino pegou um olhar de pássaro —
Contraiu visão fontana.
Por forma que ele enxergava as coisas
por igual
como os pássaros enxergam.
As coisas todas inominadas.
Água não era ainda a palavra água.
Pedra não era ainda a palavra pedra.
E tal.
As palavras eram livres de gramáticas e
podiam ficar em qualquer posição.
Por forma que o menino podia inaugurar.
Podia dar às pedras costumes de flor.
Podia dar ao canto formato de sol.
E, se quisesse caber em uma abelha, era
só abrir a palavra abelha e entrar dentro
dela.
Como se fosse infância da língua.

A turma viu uma perna de formiga, desprezada, dentro do mato. Era uma coisa para nós muito importante. A perna se mexia ainda. Eu diria que aquela perna, desprezada, e que ainda se mexia, estava procurando a outra parte do seu corpo, que deveria estar por perto. Acho que o resto da formiga, naquela altura do sol, já estaria dentro do formigueiro sendo velada. Ou talvez o resto do corpo estaria a procurar aquela perna desprezada. Ninguém viu o que foi que produziu aquela desunião do corpo com a perna desprezada. Algumas pessoas passavam por ali, naquele trato de terra, e ninguém viu a perna desprezada. Todos saímos a procurar o pedaço principal da formiga. Porque pensando bem o resto da formiga era a perna desprezada. Fomos à beira do rio mas só encontramos pedaços de folhas verdes carregados por novas formigas. Achamos a seguir que as novas formigas que carregavam as folhas nos ombros, elas estavam indo para assistir, no formigueiro, ao velório da outra parte da formiga. Mas a gente resolveu por antes tomar um banho de rio.

SE ACHANTE

Era um caranguejo muito se achante.
Ele se achava idôneo para flor.
Passava por nossa casa
Sem nem olhar de lado.
Parece que estava montado num coche
de princesa.
Ia bem devagar
Conforme o protocolo
A fim de receber aplausos.
Muito achante demais.
Nem parou para comer goiaba.
(Acho que quem anda de coche não come
goiaba.)
Ia como se fosse tomar posse de deputado.
Mas o coche quebrou
E o caranguejo voltou a ser idôneo para
mangue.

VENTO

Se a gente jogar uma pedra no vento
Ele nem olha para trás.
Se a gente atacar o vento com enxada
Ele nem sai sangue da bunda.
Ele não dói nada.
Vento não tem tripa.
Se a gente enfiar uma faca no vento
Ele nem faz ui.
A gente estudou no Colégio que vento
é o ar em movimento.
E que o ar em movimento é vento.
Eu quis uma vez implantar uma costela
no vento.
A costela não parava nem.
Hoje eu tasquei uma pedra no organismo
do vento.
Depois me ensinaram que vento não tem
organismo.
Fiquei estudado.

OS DOIS

Eu sou dois seres.
O primeiro é fruto do amor de João e Alice.
O segundo é letral:
É fruto de uma natureza que pensa por imagens,
Como diria Paul Valéry.
O primeiro está aqui de unha, roupa, chapéu
e vaidades.
O segundo está aqui em letras, sílabas, vaidades
frases.
E aceitamos que você empregue o seu amor em nós.

O LÁPIS

É por demais de grande a natureza de Deus.
Eu queria fazer para mim uma naturezinha
particular.
Tão pequena que coubesse na ponta do meu
lápis.
Fosse ela, quem me dera, só do tamanho do
meu quintal.
No quintal ia nascer um pé de tamarino apenas
para uso dos passarinhos.
E que as manhãs elaborassem outras aves para
compor o azul do céu.
E se não fosse pedir demais eu queria que no
fundo corresse um rio.
Na verdade na verdade a coisa mais importante
que eu desejava era o rio.
No rio eu e a nossa turma, a gente iria todo
dia jogar cangapé nas águas correntes.
Essa, eu penso, é que seria a minha naturezinha
particular:
Até onde o meu pequeno lápis poderia alcançar.

PÊSSEGO

Proust
Só de ouvir a voz de Albertine entrava em
orgasmo. Se diz que:
O olhar de voyeur tem condições de phalo
(possui o que vê).
Mas é pelo tato
Que a fonte do amor se abre.
Apalpar desabrocha o talo.
O tato é mais que o ver
É mais que o ouvir
É mais que o cheirar.
É pelo beijo que o amor se edifica.
É no calor da boca
Que o alarme da carne grita.
E se abre docemente
Como um pêssego de Deus.

CREME

Sucuri pegou um bezerro
E deu um forte abraço nele.
Foi se enrolando se enrolando no corpo
do bezerro
Foi apertando o abraço apertando
Até quebrar todo osso do bezerro.
O bezerro virou parece um creme.
Eu estava perto.
Eu assisti.
O silêncio do bezerro nem mexia.
Depois a cobra engoliu o creme.

MENINO DO MATO

Eu queria usar palavras de ave para escrever.
Onde a gente morava era um lugar imensamente e sem
nomeação.
Ali a gente brincava de brincar com palavras
tipo assim: Hoje eu vi uma formiga ajoelhada na pedra!
A Mãe que ouvira a brincadeira falou:
Já vem você com suas visões!
Porque formigas nem têm joelhos ajoelháveis
e nem há pedras de sacristias por aqui.
Isso é traquinagem da sua imaginação.
O menino tinha no olhar um silêncio de chão
e na sua voz uma candura de Fontes.
O Pai achava que a gente queria desver o mundo
para encontrar nas palavras novas coisas de ver
assim: eu via a manhã pousada sobre as margens do
rio do mesmo modo que uma garça aberta na solidão
de uma pedra.
Eram novidades que os meninos criavam com as suas
palavras.
Assim Bernardo emendou nova criação: Eu hoje vi um
sapo com olhar de árvore.
Então era preciso desver o mundo para sair daquele
lugar imensamente e sem lado.
A gente queria encontrar imagens de aves abençoadas
pela inocência.
O que a gente aprendia naquele lugar era só ignorâncias
para a gente bem entender a voz das águas e
dos caracóis.
A gente gostava das palavras quando elas perturbavam
o sentido normal das ideias.
Porque a gente também sabia que só os absurdos
enriquecem a poesia.

Nosso conhecimento não era de estudar em livros.
Era de pegar de apalpar de ouvir e de outros sentidos.
Seria um saber primordial?
Nossas palavras se ajuntavam uma na outra por amor
e não por sintaxe.
A gente queria o arpejo. O canto. O gorjeio das palavras.
Um dia tentamos até de fazer um cruzamento de árvores
com passarinhos
para obter gorjeios em nossas palavras.
Não obtivemos.
Estamos esperando até hoje.
Mas bem ficamos sabendo que é também das percepções
primárias que nascem arpejos e canções e gorjeios.
Porém naquela altura a gente gostava mais das palavras
desbocadas.
Tipo assim: Eu queria pegar na bunda do vento.
O pai disse que vento não tem bunda.
Pelo que ficamos frustrados.
Mas o pai apoiava a nossa maneira de desver o mundo
que era a nossa maneira de sair do enfado.
A gente não gostava de explicar as imagens porque
explicar afasta as falas da imaginação.
A gente gostava dos sentidos desarticulados como a
conversa dos passarinhos no chão a comer pedaços de
mosca.
Certas visões não significavam nada mas eram passeios
verbais.
A gente sempre queria dar brazão às borboletas.
A gente gostava bem das vadiações com as palavras do
que das prisões gramaticais.
Quando o menino disse que queria passar para as
palavras suas peraltagens até os caracóis apoiaram.

A gente se encostava na tarde como se a tarde fosse
um poste.
A gente gostava das palavras quando elas perturbavam
os sentidos normais da fala.
Esses meninos faziam parte do arrebol como
os passarinhos.

Desde o começo do mundo água e chão se amam
e se entram amorosamente
e se fecundam.
Nascem peixes para habitar os rios.
E nascem pássaros para habitar as árvores.
As águas ainda ajudam na formação dos caracóis e das
suas lesmas.
As águas são a epifania da criação.
Agora eu penso nas águas do Pantanal.
Penso nos rios infantis que ainda procuram declives
para escorrer.
Porque as águas deste lugar ainda são espraiadas para
alegria das garças.
Estes pequenos corixos ainda precisam de formar
barrancos para se comportarem em seus leitos.
Penso com humildade que fui convidado para o
banquete dessas águas.
Porque sou de bugre.
Porque sou de brejo.
Acho agora que estas águas que bem conhecem a
inocência de seus pássaros e de suas árvores.
Que elas pertencem também de nossas origens.
Louvo portanto esta fonte de todos os seres e de todas
as plantas.
Vez que todos somos devedores destas águas.
Louvo ainda as vozes dos habitantes deste lugar que
trazem para nós, na umidez de suas palavras, a boa
inocência de nossas origens.

O *primeiro poema*:
O menino foi andando na beira do rio
e achou uma voz sem boca.
A voz era azul.
Difícil foi achar a boca que falasse azul.
Tinha um índio terena que diz-que
falava azul.
Mas ele morava longe.
Era na beira de um rio que era longe.
Mas o índio só aparecia de tarde.
O menino achou o índio e a boca era
bem normal.
Só que o índio usava um apito de
chamar perdiz que dava um canto
azul.
Era que a perdiz atendia ao chamado
pela cor e não pelo canto.
A perdiz atendia pelo azul.

MEMÓRIAS INVENTADAS

O APANHADOR DE DESPERDÍCIOS

Uso a palavra para compor meus silêncios.
Não gosto das palavras
fatigadas de informar.
Dou mais respeito
às que vivem de barriga no chão
tipo água pedra sapo.
Entendo bem o sotaque das águas.
Dou respeito às coisas desimportantes
e aos seres desimportantes.
Prezo insetos mais que aviões.
Prezo a velocidade
das tartarugas mais que a dos mísseis.
Tenho em mim esse atraso de nascença.
Eu fui aparelhado
para gostar de passarinhos.
Tenho abundância de ser feliz por isso.
Meu quintal é maior do que o mundo.
Sou um apanhador de desperdícios:
Amo os restos
como as boas moscas.
Queria que a minha voz tivesse um formato de canto.
Porque eu não sou da informática:
eu sou da invencionática.
Só uso a palavra para compor meus silêncios.

CASO DE AMOR

Uma estrada é deserta por dois motivos: por abandono ou por desprezo. Esta que eu ando nela agora é por abandono. Chega que os espinheiros a estão abafando pelas margens. Esta estrada melhora muito de eu ir sozinho nela. Eu ando por aqui desde pequeno. E sinto que ela bota sentido em mim. Eu acho que ela manja que eu fui para a escola e estou voltando agora para revê-la. Ela não tem indiferença pelo meu passado. Eu sinto mesmo que ela me reconhece agora, tantos anos depois. Eu sinto que ela melhora de eu ir sozinho sobre seu corpo. De minha parte eu achei ela bem acabadinha. Sobre suas pedras agora raramente um cavalo passeia. E quando vem um, ela o segura com carinho. Eu sinto mesmo hoje que a estrada é carente de pessoas e de bichos. Emas passavam sempre por ela esvoaçantes. Bando de caititus a atravessavam para ver o rio do outro lado. Eu estou imaginando que a estrada pensa que eu também sou como ela: uma coisa bem esquecida. Pode ser. Nem cachorro passa mais por nós. Mas eu ensino para ela como se deve comportar na solidão. Eu falo: deixe deixe meu amor, tudo vai acabar. Numa boa: a gente vai desaparecendo igual quando Carlitos vai desaparecendo no fim de uma estrada... Deixe, deixe, meu amor.

ACHADOUROS

Acho que o quintal onde a gente brincou é maior
do que a cidade. A gente só descobre isso depois de
grande. A gente descobre que o tamanho das coisas
há que ser medido pela intimidade que temos com as
coisas. Há de ser como acontece com o amor. Assim,
as pedrinhas do nosso quintal são sempre maiores do
que as outras pedras do mundo. Justo pelo motivo da
intimidade. Mas o que eu queria dizer sobre o nosso
quintal é outra coisa. Aquilo que a negra Pombada,
remanescente de escravos do Recife, nos contava.
Pombada contava aos meninos de Corumbá sobre
achadouros. Que eram buracos que os holandeses,
na fuga apressada do Brasil, faziam nos seus quintais
para esconder suas moedas de ouro, dentro de grandes
baús de couro. Os baús ficavam cheios de moedas
dentro daqueles buracos. Mas eu estava a pensar em
achadouros de infâncias. Se a gente cavar um buraco ao
pé da goiabeira do quintal, lá estará um guri ensaiando
subir na goiabeira. Se a gente cavar um buraco ao pé do
galinheiro, lá estará um guri tentando agarrar no rabo
de uma lagartixa. Sou hoje um caçador de achadouros
de infância. Vou meio dementado e enxada às costas a
cavar no meu quintal vestígios dos meninos que fomos.
Hoje encontrei um baú cheio de punhetas.

SOBRE IMPORTÂNCIAS

Um fotógrafo-artista me disse outra vez: Veja que pingo de sol no couro de um lagarto é para nós mais importante do que o sol inteiro no corpo do mar. Falou mais: que a importância de uma coisa não se mede com fita métrica nem com balanças nem com barômetros etc. Que a importância de uma coisa há que ser medida pelo encantamento que a coisa produza em nós. Assim um passarinho nas mãos de uma criança é mais importante para ela do que a Cordilheira dos Andes. Que um osso é mais importante para o cachorro do que uma pedra de diamante. E um dente de macaco da era terciária é mais importante para os arqueólogos do que a Torre Eiffel. (Veja que só um dente de macaco!) Que uma boneca de trapos que abre e fecha os olhinhos azuis nas mãos de uma criança é mais importante para ela do que o Empire State Building. Que o cu de uma formiga é mais importante para o poeta do que uma Usina Nuclear. Sem precisar medir o ânus da formiga. Que o canto das águas e das rãs nas pedras é mais importante para os músicos do que os ruídos dos motores da Fórmula 1. Há um desagero em mim de aceitar essas medidas. Porém não sei se isso é um defeito do olho ou da razão. Se é defeito da alma ou do corpo. Se fizerem algum exame mental em mim por tais julgamentos, vão encontrar que eu gosto mais de conversar sobre restos de comida com as moscas do que com homens doutos.

UM DOUTOR

Um doutor veio formado de São Paulo. Almofadinha.
Suspensórios, colete, botina preta de presilhas. E um
trejeito no andar de pomba-rolinha. No verbo, diga-se
de logo, usava naftalina. Por caso, era um pernóstico
no falar. Pessoas simples da cidade lhe admiravam a
pose de doutor. Eu só via o casco. Fomos de tarde no
Bar O Ponto. Ele, meu pai e este que vos fala. Este
que vos fala era um rebelde adolescente. De pronto
o doutor falou pra meu pai: Meus parabéns Seo João,
parece que seu filho agora endireitou! E meu pai:
Ele nunca foi torto. Pintou um clima de urubu com
mandioca entre nós. O doutor pisou no rabo, eu
pensei. Ele ainda perguntou: E o comunismo dele? Está
quarando na beira do rio entre as capivaras, o pai
respondeu. O doutor se levantou da mesa e saiu com
seu andar de vespa magoada.

FONTES

Três personagens me ajudaram a compor estas
memórias. Quero dar ciência delas. Uma, a criança;
dois, os passarinhos; três, os andarilhos. A criança me
deu a semente da palavra. Os passarinhos me deram
desprendimento das coisas da terra. E os andarilhos, a
preciência da natureza de Deus. Quero falar primeiro
dos andarilhos, do uso em primeiro lugar que eles
faziam da ignorância. Sempre eles sabiam tudo sobre
o nada. E ainda multiplicavam o nada por zero —
o que lhes dava uma linguagem de chão. Para nunca
saber onde chegavam. E para chegar sempre de
surpresa. Eles não afundavam estradas, mas inventavam
caminhos. Essa a pré-ciência que sempre vi nos
andarilhos. Eles me ensinaram a amar a natureza.
Bem que eu pude prever que os que fogem da natureza
um dia voltam para ela. Aprendi com os passarinhos a
liberdade. Eles dominam o mais leve sem precisar ter
motor nas costas. E são livres para pousar em qualquer
tempo nos lírios ou nas pedras — sem se machucarem.
E aprendi com eles ser disponível para sonhar. O outro
parceiro de sempre foi a criança que me escreve. Os
pássaros, os andarilhos e a criança em mim são meus
colaboradores destas *Memórias inventadas* e doadores
de suas fontes.

SOBRE O AUTOR

Manoel de Barros (1916-2014) nasceu em Cuiabá, mas foi criado numa fazenda próxima a Corumbá. Começou sua educação num internato em Campo Grande, e, aos doze anos, foi matriculado no Colégio São José, no Rio de Janeiro — cidade onde viveu por mais de trinta anos. Em 1937 publica seu primeiro livro de poesia, *Poemas concebidos sem pecado*. Viaja pela Europa, estuda cinema e arte em Nova York. Em 1955, muda-se com a mulher Stella e os três filhos para o Pantanal. Vive um período de intensos e rústicos trabalhos para formar a fazenda; por isso, durante quase dez anos, pouco se dedica à literatura. Nos anos 1960, vivendo em Campo Grande, é premiado pelo livro *Compêndio para uso dos pássaros*, e, nos anos 1970, volta à cena literária com *Matéria de poesia*. No início dos anos 1990, sua obra poética é reunida no volume *Gramática expositiva do chão* (*poesia quase toda*). A partir de então, conquista vários prêmios importantes como o APCA, o Jabuti e o Prêmio Nestlé. Nos anos 2000, sua obra é publicada em Portugal, recebe prêmios internacionais e é traduzida para vários idiomas.

RELAÇÃO DE OBRAS

Poemas concebidos sem pecado [1937]
Face imóvel [1942]
Poesias [1947]
Compêndio para uso dos pássaros [1960]
Gramática expositiva do chão [1966]
Matéria de poesia [1974]
Arranjos para assobio [1980]
Livro de pré-coisas [1985]
O guardador de águas [1989]
Concerto a céu aberto para solos de ave [1991]
O livro das ignorãças [1993]
Livro sobre nada [1996]
Retrato do artista quando coisa [1998]
Ensaios fotográficos [2000]
Tratado geral das grandezas do ínfimo [2001]
Poemas rupestres [2004]
Menino do mato [2010]
Escritos em verbal de ave [2011]

MEMÓRIAS INVENTADAS
Infância [2003]
A segunda infância [2006]
A terceira infância [2008]

LIVROS INFANTIS
Exercícios de ser criança [1999]
O fazedor de amanhecer [2001]
Cantigas por um passarinho à toa [2003]
Poeminha em Língua de brincar [2007]

ÍNDICE DE TÍTULOS E PRIMEIROS VERSOS*

A água [CUP]	33
a boca na pedra o levara a cacto [GEC]	39
A cidade mancava de uma rua até certo ponto; [MP]	48
A menina apareceu grávida de um gavião. [RAC]	112
À mesa o doutor perorou: Vocês é que são felizes [LSN]	94
A nossa garça [LPC]	66
A poesia está guardada nas palavras — é tudo que [TGG]	125
A turma viu uma perna de formiga, desprezada, [PR]	132
Achadouros [MI]	151
Acho que o quintal onde a gente brincou é maior... [MI]	151
Agroval [LPC]	61
Antissalmo por um desherói [GEC]	39
Antoninha-me-leva [PCP]	20
Ao nascer eu não estava acordado, de forma que [EF]	118
Aprendi com Rômulo Quiroga (um pintor boliviano): [LSN]	102
Aprendo com abelhas do que com aeroplanos. [RAC]	109
As lições de R.Q. [LSN]	102
Assim é que elas foram feitas (todas as coisas) — [CCA]	79
Autorretrato [EF]	118
Autorretrato falado [LI]	89
Bernardo é quase árvore. [LI]	88
Caderno de andarilho: Apresentação [CCA]	78
Caderno de andarilho: Prefácio [CCA]	79
Carrego meus primórdios num andor. [LSN]	98
Caso de amor [MI]	150
Como estou só: Afago casas tortas, [P]	29
Creme [PR]	138
— Cumpadre antão [GEC]	40

* Em negrito: títulos de poemas. Em redondo: primeiros versos. Entre colchetes: *Arranjos para assobio* [APA]; *Compêndio para uso dos pássaros* [CUP]; *Concerto a céu aberto para solos de ave* [CCA]; *Ensaios fotográficos* [EF]; *Face imóvel* [FI]; *Gramática expositiva do chão* [GEC]; *O guardador de águas* [GA]; *O livro das ignorãças* [LI]; *Livro de pré-coisas* [LPC]; *Livro sobre nada* [LSN]; *Matéria de poesia* [MP]; *Memórias inventadas* [MI]; *Menino do mato* [MM]; *Poemas concebidos sem pecado* [PCP]; *Poemas rupestres* [PR]; *Poesias* [P]; *Retrato do artista quando coisa* [RAC]; *Tratado geral das grandezas do ínfimo* [TGG].

De tarde um homem tem esperanças. [FI]	25
De tonto tenho roupa e caderneta. [GA]	70
Depois de ter entrado para rã, para árvore, para pedra [LSN]	95
Desarticulados para viola de cocho [GEC]	40
Descobri aos 13 anos que o que me dava prazer nas [LI]	87
Desde o começo do mundo água e chão se amam [MM]	144
Despalavra [EF]	117
Difícil fotografar o silêncio. [EF]	115
É por demais de grande a natureza de Deus. [PR]	136
Ela me encontrará pacífico, desvendável [P]	30
Era só água e sol de primeiro este recanto. ... [LPC]	63
Era um caranguejo muito se achante. [PR]	133
Escrever nem uma coisa [GA]	72
Esse é Bernardo. Bernardo da Mata. Apresento. [GA]	69
Este é um caderno de haver frases nele. [RAC]	110
Eu já disse quem sou Ele. [LSN]	103
Eu não vou perturbar a paz [FI]	25
Eu quando conheci o Aristeu — [CCA]	78
Eu queria usar palavras de ave para escrever. [MM]	141
Eu sou dois seres. [PR]	135
Eu tenho um ermo enorme dentro do olho. [MI]	15
Fontes [MI]	154
Gorjeio é mais bonito do que canto porque nele se [EF]	116
Gorjeios [EF]	116
Gravata de urubu não tem cor. [GA]	71
Há quem receite a palavra ao ponto de osso, de oco; [APA]	54
Hoje eu atingi o reino das imagens, o reino da [EF]	117
Hoje eu vi [FI]	26
Infantil [TGG]	126
Informações sobre a musa [PCP]	21
Manoel por Manoel [MI]	15
Musa pegou no meu braço. Apertou. [PCP]	21
Na cela de Pedro Norato, 23 anos de reclusão, [APA]	57
Na enseada de Botafogo [P]	29
Não é por me gavar [LSN]	97
Não tenho bens de acontecimentos. [GA]	72
Natureza será que preparou o quero-quero... [LPC]	64

No descomeço era o verbo. [LI] 83

Nos primórdios [LPC] 63

Nosso conhecimento não era de estudar em livros. [MM] 142

O abandono (parte final) [MP] 48

O andarilho [LSN] 103

O apanhador de desperdícios [MI] 149

O cisco [TGG] 123

O fotógrafo [EF] 115

O lápis [PR] 136

O leve e macio [CUP] 35

O menino e o córrego [CUP] 33

O menino ia no mato [TGG] 126

O mundo meu é pequeno, Senhor. [LI] 86

O Padre Antônio Vieira pregava de encostar as orelhas [TGG] 128

O pai morava no fim de um lugar. [LSN] 93

O poema é antes de tudo um inutensílio. [APA] 55

O poeta [EF] 119

O primeiro poema: [MM] 145

O quero-quero [LPC] 64

O rio que fazia uma volta atrás de nossa casa era a [LI] 85

Ode vingativa [P] 30

Os dois [PR] 135

Os girassóis de Van Gogh [FI] 26

Outro caso é o de Antoninha-me-leva: [PCP] 20

Palavras [EF] 120

Para entrar em estado de árvore é preciso partir de [LI] 84

Penso que têm nostalgia de mar estas garças... [LPC] 66

Pêssego [PR] 137

Pierrô é desfigura errante, [APA] 53

Poema [TGG] 125

Pois pois [TGG] 128

Por vezes, nas proximidades dos brejos ressecos, ... [LPC] 61

Por viver muitos anos dentro do mato [PR] 131

Prefiro as linhas tortas, como Deus. ... [LSN] 96

Proust [PR] 137

Quando eu nasci [CCA] 77

Quando o mundo abandonar o meu olho. [RAC] 111

Retrato do artista quando coisa: borboletas [RAC]	107
Retrato quase apagado em que se pode ver perfeitamente nada [GA]	72
Sabastião [PCP]	19
Se a gente jogar uma pedra no vento [PR]	134
Se achante [PR]	133
Sei que fazer o inconexo aclara as loucuras. [LSN]	99
Seis ou treze coisas que eu aprendi sozinho [GA]	71
Seu França não presta pra nada — [GA]	71
Sujeito [APA]	56
Sobre importâncias [TGG]	127
Sobre importâncias [MI]	152
Sucuri pegou um bezerro [PR]	138
(Tem vez que a natureza ataca o cisco para o bem.) [TGG]	123
Todas as coisas cujos valores podem ser [MP]	45
Todos eram iguais perante a lua [PCP]	19
Todos os caminhos — nenhum caminho [GA]	72
Três personagens me ajudaram a compor... [MI]	154
Um bem-te-vi [CUP]	35
Um doutor [MI]	153
Um doutor veio formado de São Paulo. ... [MI]	153
Um fotógrafo-artista me disse outra vez: ... [MI]	152
Uma estrada é deserta por dois motivos: ... [MI]	150
Uma rã se achava importante [TGG]	127
Usava um Dicionário do Ordinário [APA]	56
Uso a palavra para compor meus silêncios. [MI]	149
Uso um deformante para a voz. [RAC]	108
Vão dizer que não existo propriamente dito. [EF]	119
Veio me dizer que eu desestruturo a linguagem. ... [EF]	120
Venho de nobres que empobreceram. [LSN]	101
Venho de um Cuiabá garimpo e de ruelas entortadas. [LI]	89
Vento [PR]	134
Vi um prego do Século XIII, enterrado até o meio [LSN]	100
Visita [APA]	57

1ª EDIÇÃO [2015] 19 reimpressões

ESTA OBRA FOI COMPOSTA PELA ABREU'S SYSTEM EM ADOBE GARAMOND
E IMPRESSA EM OFSETE PELA LIS GRÁFICA SOBRE PAPEL PÓLEN BOLD
DA SUZANO S.A. PARA A EDITORA SCHWARCZ EM AGOSTO DE 2024

A marca FSC® é a garantia de que a madeira utilizada na fabricação do papel deste livro provém de florestas que foram gerenciadas de maneira ambientalmente correta, socialmente justa e economicamente viável, além de outras fontes de origem controlada.